脳科学者が子どものために考えた

夢をかなえる力のばし方

脳科学者 茂木健一郎

宝島社

はじめに

無限の可能性を持つきみたちへ

10年後、きみはどんな大人になっているかな？

いま世の中は、ものすごい速さで変化している。
インターネットや人工知能が急速に発達して、
100年に一度と言われるほどの激変の時代を迎えているんだ。
だから、きみたちが大人になったときには、
これまでの成功のルールや正解は通じなくなっている。
じゃあ、そんな〝答えのない時代〟を生き抜くために、
何をしたらいいいんだろう？

この本では、これからの未来を生き抜くために必要な力を
6つにまとめているよ。
「チャレンジ力」「失敗力」「友だち力」「勉強力」
「夢中力」「夢をかなえる力」——。
どれも学校や教科書では教わらないけれど、
21世紀に活躍する人になるためには大事な力なんだ。

脳には限界なんてないから、
きみたちには、いつだって無限の可能性がある。
だから、新しい世界にどんどん飛び込んで
「なりたい自分」に近づこう!

茂木健一郎(脳科学者)

変化を楽しんでなりたい自分になろう!

ユーチューバーになりたいタカシくんの前に、脳科学者・茂木健一郎先生がやってきた!

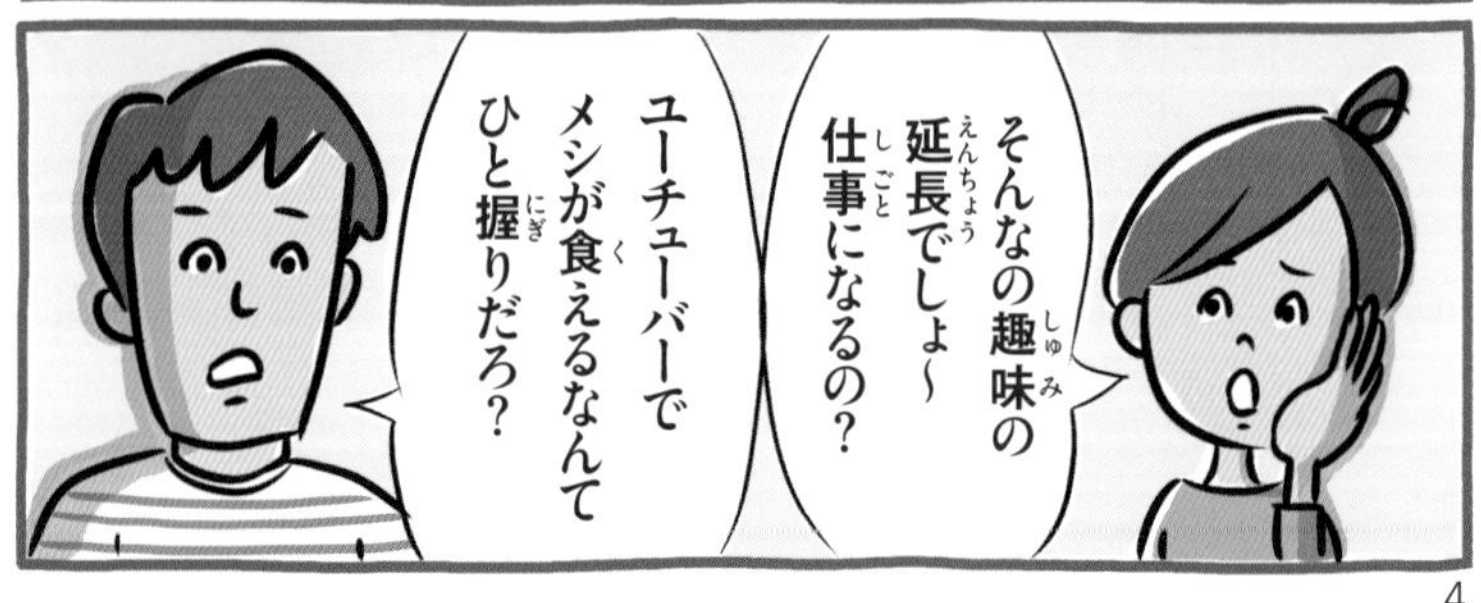

そ…
そうなのかなぁ…
しゅん
あきらめるのははやーい!!
未来はどんどん変化するんだよ!

はっ!!
脳科学者の茂木健一郎先生!
あぁっ!!
だれ?
このおじさん…
ズコッ!!
あれ…
茂木健一郎
脳科学者、作家、大学の講師など幅広く活躍中。
すみません…
いえいえ、お気になさらず…
モジャモジャー
これからの時代はご両親が育ったときよりもさらに変化が激しくなります!
キリッ!

ポケベル
ビデオテープ
スマホ
DVD
ううん…
今はスマートフォンで動画を見られるし仕事もできるもんね〜
ふむふむ
おつかれさまです
それどころか
自動運転してくれる車や画期的なスピードで計算できる量子コンピューターの実現がもうそこまで来ているんだ！
スゴーい！
いいことばかりじゃないぞ…
いまある仕事の半分ほどが人工知能にとって代わられると聞いたことがある…
えぇっ!?
タ、タカシ…人工知能に勝てるの!?
え…そ、そんな…
ガ〜ン

大丈夫!!
人工知能に負けない能力はたくさんある!
と、いうと?
こういう能力があれば人工知能時代も乗り越えていけるんだ
チャレンジ力
失敗力
友だち力
夢中力
など
など

こうした力を育てるために必要なのは
いっぱい遊んでいっぱい学ぶこと!
脳は遊んでいるときにいちばん成長するんだ
子どもはみんな天才なんだよ
ホント!?
おれたちの脳もアップデートしないとな
そうね!
いっぱい遊んでねー
わーい! じゃあ遊びに行ってきまーす
ヤッホゥ
TAKASHI

もくじ

パート1 「チャレンジカ」をつけて自分をレベルアップ！

パート❷ ピンチをチャンスに変・え・る 「失敗力」の鍛・え・方

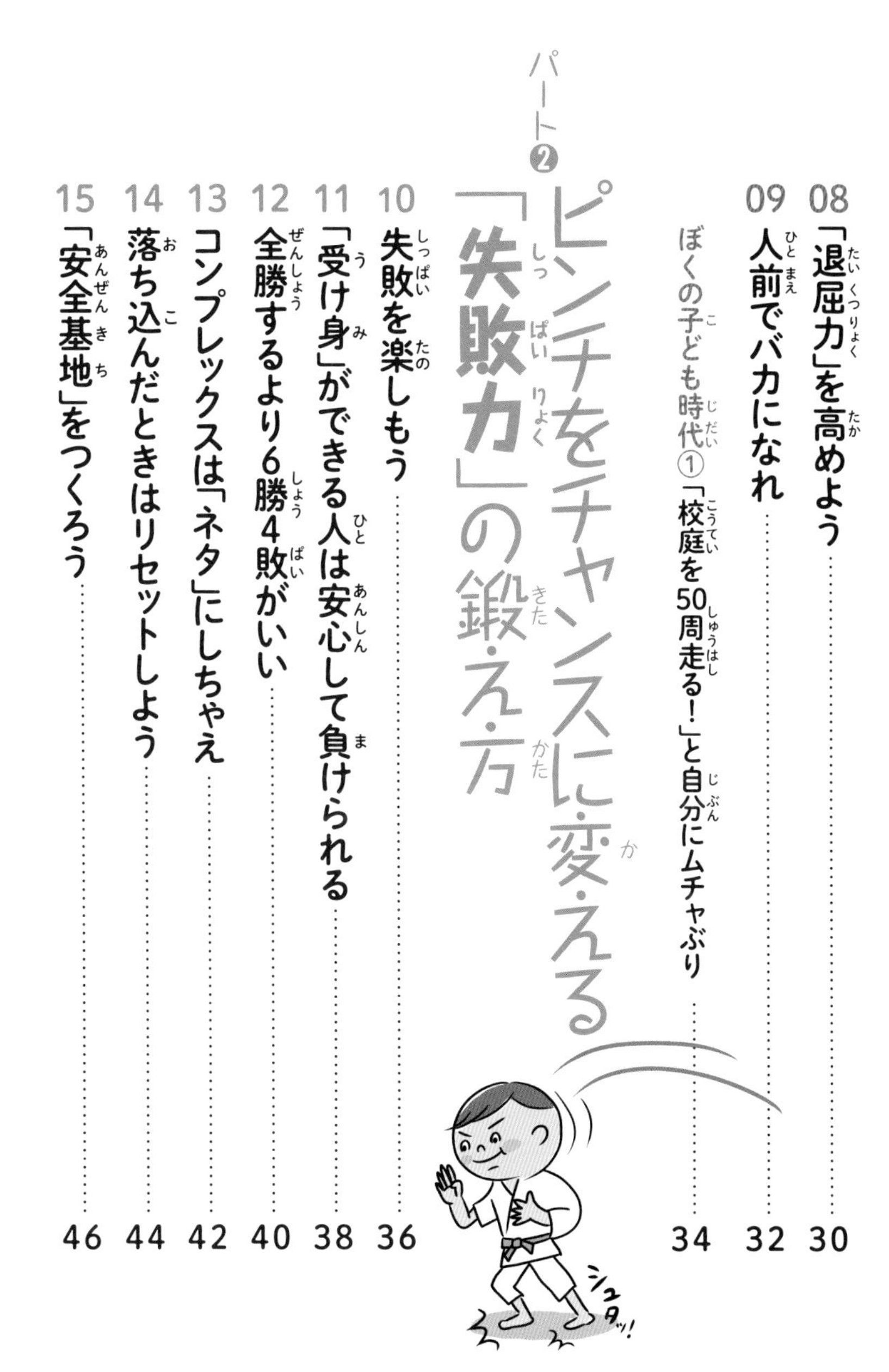

パート3

大人になっても役立つ「友だち力」を高めよう！

パート4 教科書では学べない 本当の「勉強力」の育て方

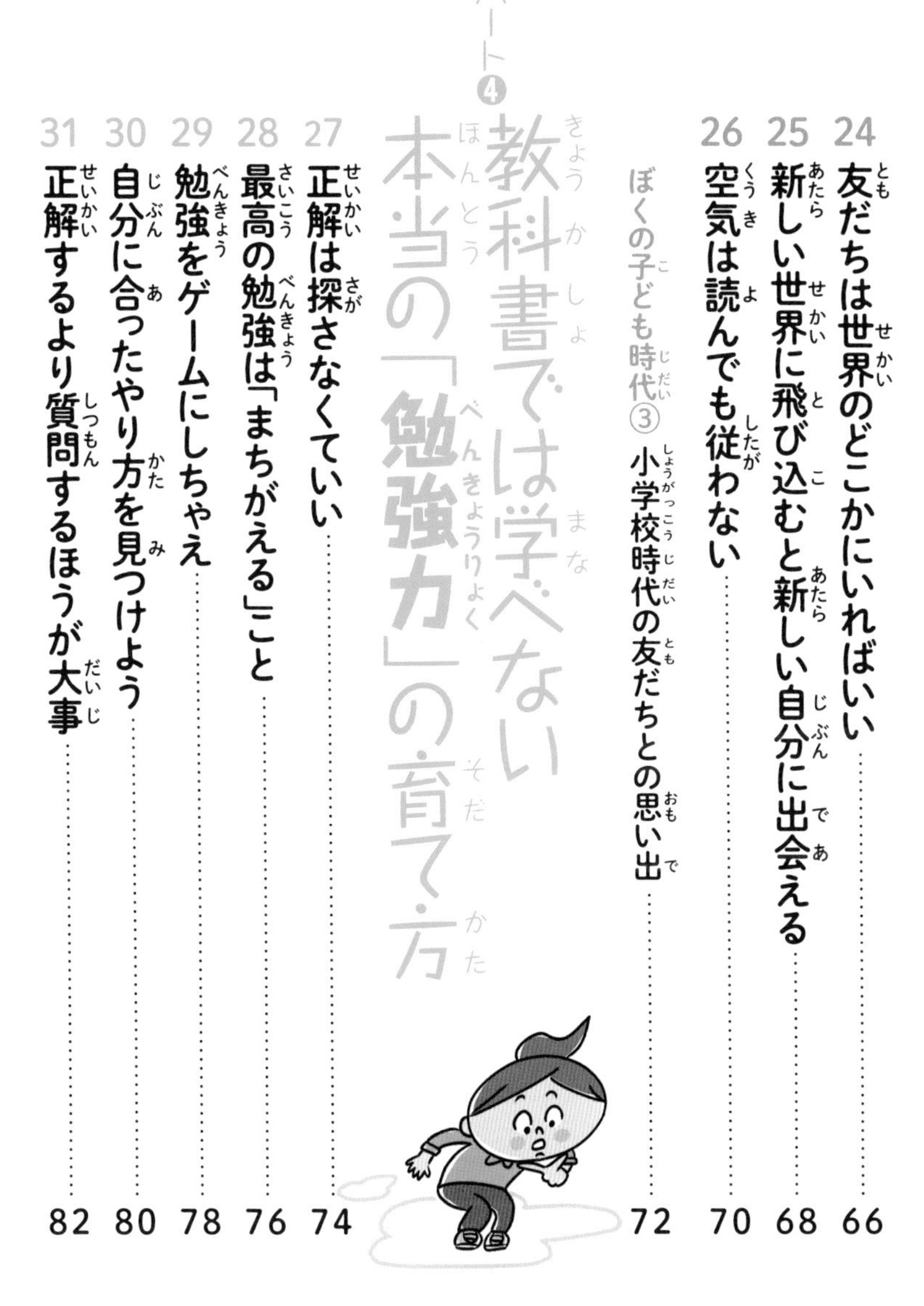

パート❺ 「夢中力」をのばして〝なりたい自分〟になる！

パート❻ 「夢をかなえる力」を育てよう！

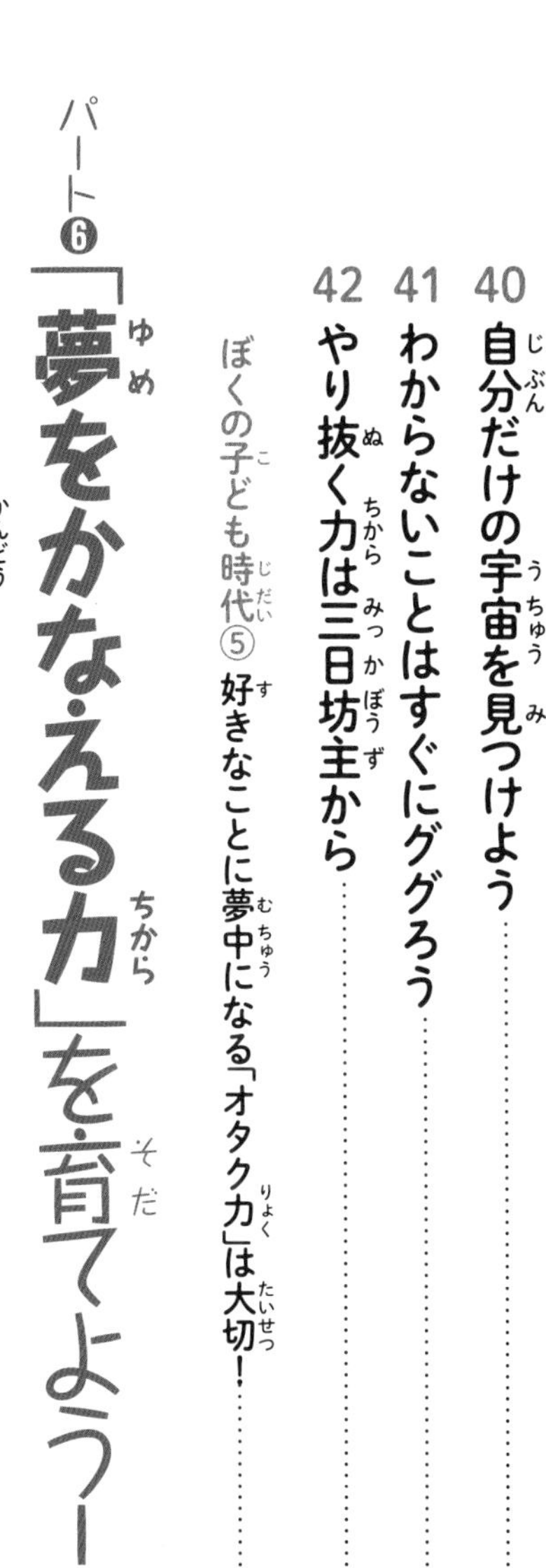

表紙・本文デザイン　クマガイケンジ(kumagaigrafix)
表紙・本文イラスト　野田節美
帯写真　海老澤芳長(リンガフランカ)
編集協力　岡 未来

パート1

「チャレンジ力」をつけて自分をレベルアップ！

新しいことをはじめるときは不安もあるけど、
ドキドキ、ワクワクするよね。挑戦すればするほど
脳は成長するから、どんどんチャレンジしよう！

01 「ワクワク」は最強のエネルギー

新しいこと、
はじめてのことに挑戦するときは
「ドキドキ、ワクワク」するよね。
それは脳の中で、「やる気のもと」になる
「ドーパミン」という物質が出ているから。
ドーパミンが出ているとき、
脳は夢中になっているんだ。
脳は何かに夢中になると、気持ちよく感じる。
だから毎日、新しいことに挑戦しよう！

おうちの方へ

子どもが楽しいことを
何度も繰り返すときは、
脳内でドーパミンが分泌され
ています。そんなときは、
とめずに飽きるまで
やらせましょう。

毎日、自分を驚かせよう

結果がどうなるかわからないことに
挑戦するのは、不安だよね。
でも、脳は予想を裏切られると、
やる気のもとになる「ドーパミン」が出るんだ。
想定外のことに直面すると、脳は興奮して、
新しいことを吸収していく。
だから毎日、自分を驚かせよう。
「半分くらい予想できるけど、半分はどうなるかわからない」
そんな挑戦が、いちばん脳を成長させてくれるんだ。

おうちの方へ

親はつい安心安全なほうへ子どもを導こうとしがちですが、ときには予想できないようなことにも挑戦させてみましょう。

03

「最初のペンギン」になろう

群れで行動するペンギンたちは、
新しい海に移動したとき、
だれも海に飛び込もうとしないんだ。
エサはほしいけれど、
天敵がいるかもしれないから。
でも、勇気を出して
最初に海に飛び込むペンギンがあらわれる。

危険をおそれずに、ほかのペンギンが
していないことに挑戦する「最初のペンギン」は、
だれよりもたくさん
エサを手に入れられるんだ。
もしきみが新しい海に行ったら、
最初に海に飛び込めるかな？

おうちの方へ

「最初のペンギン」になる練習は子どもの頃からしたほうがいいです。とめるのではなくて、あと押しをしたいですね。

みんな！だ、だいじょうぶ…
ぼ、ぼくに、つ、つ、
ついてきて！
つめたっ!!

04

変化は怖がらずに楽しもう

たとえばクラス替えや転校で、
いままでの環境やルールが変わると、
だれだって不安になったり、
とまどったりするよね。
でも、新しい環境は、
脳にとって「最高のごちそう」なんだ。
これからの時代はロボットや

人工知能などの技術が進んで、
どんどん世の中の変化が速くなる。
だから、変化は怖がらずに、
楽しんじゃおう。
楽しんでいるうちに
いつのまにか慣れちゃうから。

おうちの方へ

大人よりも子どものほうが
適応力は高いので、
大人が不安がって
いるうちに、子どもは
新しい環境に慣れて
いきます。

05 自分にムチャぶりをしよう

「ムチャぶり」は人にするよりも、
自分にするといい。
やったこともないことや、
できそうにないことを、
自分にやらせてみるんだ。
「ぶあつい本を1日で読む」とか

「ユーチューブに動画を
アップしてみる」とか。
むずかしいことに挑戦したり、
できないと思っていたことが
できるようになったりしたときに、
ドーパミンが出るんだ。
たとえ、クリアできなくたってOK。
自分にムチャぶりしている人は、
どんどん成長するから。

おうちの方へ

自分に無理難題を課して
挑戦した経験は
一生の宝になります。
たとえできなくても、
そういう経験をして
いる子はのびます。

06

「ずっと5歳児」が最強

きみたちはみんな、天才なんだ。
常識にとらわれていない子どもの頃は、
みんな天才なんだけれど、
大人になるうちに、なぜか普通になっちゃう。
でも、成功している人は、
心が子どものままの大人が多いんだよ。
天才芸術家といわれるピカソも、
子どものように絵をかくことを一生の目標にしていた。
だから、ずっと5歳児の心でいることが大事なんだ。

おうちの方へ

子どもの脳はめまぐるしく
成長しています。
この学びの黄金期に、
子どもの可能性を
できるだけ広げて
あげましょう。

07 ルールは自分でつくっちゃえ

ゲームや遊び、
スポーツにはルールがあるよね。
ルールの中で勝負をしたり、
競争したりするのも
楽しいけれど、
もっとおもしろいのは、
自分でゲームや
遊びをつくること。

2回つかまったら次からはケンケンで追いかけるとか！
これ
ああだ
うーん…ずっとケンケンはつかれちゃうしな〜

「オニがどんどん
増えていく」
「赤色が出たら負け」など、
なんだっていい。
ポイントは、
「どうしたら自分やみんなが
楽しめるか」を考えること。
決められたルールの中で遊ぶよりも、
自分がルールをつくる人になると、
どんなことも、もっとおもしろくなるよ。

おうちの方へ

何もないところから
ルールをつくって遊んだり、
どうしたらみんなが楽しく
遊べるかを考えたりする
のは、もっとも高度な
脳の働きです。

08

「退屈力(たいくつりょく)」を高(たか)めよう

じつは「退屈だ」って思うことは、
すばらしいことなんだ。
退屈は、脳がおなかをすかせているようなもの。
つまり、「何かおもしろいことないかな～」って、
脳が楽しい刺激をほしがっているんだよ。
それだけ、新しいことへの好奇心が強いってこと。
退屈なときは、自分で遊びをつくり出すのが、
脳にとっていちばんの栄養になるんだ。
退屈をまぎらわす方法を考えられる子は
大人になってものびるよ。

おうちの方へ

「つまんない」が口癖の子は、新しいことへの好奇心が強い子。退屈していたら、自分で遊びをつくり出すように促すといいですね。

09

人前でバカになれ

ピュロ〜

みんなの前で失敗するのは、恥ずかしいかもしれない。
でも恥をかきながらでも、
自分から行動する人のほうが魅力的。
人前でバカになれると、
失敗をおそれずに新しいことに挑戦できるようになる。
他人の評価なんて気にしなくていい。
とにかくがむしゃらに動いていると、
社会を生き抜く「突破力」が身につくよ。

おうちの方へ

仕事ができない人ほど知ったかぶりをします。成功している人ほど、知らないことを恥ずかしがらず、バカになれる人が多いです。

「校庭を50周走る！」と自分にムチャぶり

ぼくは子どもの頃から「自分にムチャぶり」したことが何度もある。たとえば小学校2年生のとき、放課後に突然「200メートルトラックを50周走ろう！」と思いついた。すごくしんどかったけど、完走したよ。

あと高校生のときに、突然「英語の本を辞書を引かずに読もう！」と思い立った。最初は本当に苦しかったけど、がまんして続けていたら、だんだん読めるようになったんだ。

どうしてあんなことを思いついたのかいまでも不思議だけど、どんなムチャぶりも、やってみるとけっこう快感に変わるんだよね。

パート2

ピンチをチャンスに変える「失敗力」の鍛え方

失敗するとくやしいし落ち込むこともあるけれど、
失敗をすればするほど脳は成長するんだ。
だから、失敗は怖がらなくていいんだよ。

10

失敗（しっぱい）を楽（たの）しもう

失敗したり、うまくいかなかったりすると、つらいよね。
でも、思い出してみて。
遊んでいるときって、失敗しても楽しいよね。
キャッチボールでボールがどこかに飛んでいっても、
鬼ごっこで転んでも、笑って楽しめるでしょ？
だから、勉強もスポーツも、
「遊びだ」と思えばラクになるよ。
脳は遊んでいるときに、いちばん学習するんだ。

おうちの方へ

失敗しても楽しむ
コツは、幼児の頃の
「何があっても楽しい」
という気持ちを
思い出すことです。

11

「受け身」ができる人は安心して負けられる

柔道では投げ技よりも先に、
まず「受け身」の練習からはじめる。
相手に投げられたときに、
手を畳に打つことで
衝撃をやわらげて、
ケガを防ぐことを覚えるんだ。
受け身ができれば、
投げられても怖くなくなる。
だから、何かに挑戦するときも、
「受け身」を練習しておくといい。
安心して負けられる準備をしておけば、
おそれずに挑めるよ。

おうちの方へ

親なら子どもには
勝たせてあげたいと思うもの。
でも、あえて負ける練習を
することで、思い切って
挑戦できるように
なります。

12

全勝するより6勝4敗がいい

失敗すると落ち込んだり、
恥ずかしい思いをしたりするから、
みんな嫌いだよね。
でも、失敗はたくさん
したほうがいいんだよ。
10戦全勝よりも、
6勝4敗くらいが
ちょうどいい。

失敗をすればするほど、
脳は成長するから。
成功した大人たちは
みんな、たくさん
負けてきたんだよ。
だから、失敗を怖がる必要は、
まったくないんだ。

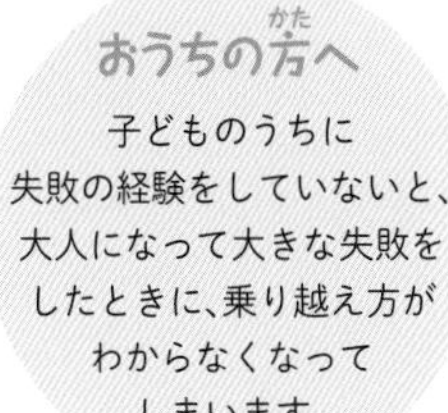

おうちの方へ

子どものうちに
失敗の経験をしていないと、
大人になって大きな失敗を
したときに、乗り越え方が
わからなくなって
しまいます。

13

コンプレックスは「ネタ」にしちゃえ

自分のダメなところって、人に見せたくないよね。
でも、つらいことや自分の欠点を笑いに変えられる人は、
とても強い人。
自分をネタにするのは勇気がいるし、
自分を客観視する能力がないとできないんだ。
「また失敗しちゃったよー」って明るくネタにすれば
気持ちも少しラクになるよ。

おうちの方へ

無理して自分の欠点を笑い話にする必要はありませんが、そういう方法もあることを知っていると、少しラクになれるかもしれません。

14

落ち込んだときはリセットしよう

失敗したり
怒られたりしても、
数秒後にはケロッと
笑っている子っているよね。
それは、全然悪いことじゃない。
脳には切り替える力が備わっているんだ。
だから、イヤなことがあったら、どんどんリセットしていい。
体を動かす、公園に行く、髪を切るとか、なんでもOK。
1日に何回リセットしてもいい。
切り替えがうまい人は、
変化やピンチにもうまく対応できるから。

はい、アイス

あ！食べる！
ありがと〜

おうちの方へ

気分を切り替えたいときは、頭の中を切り替えようとするよりも、着替えや外出するなど動きや環境を切り替えるほうが効果的です。

15 「安全基地」をつくろう

しんどいときは、「安全基地」に逃げ込もう。
「安全基地」というのは、
「自分が安心できる場所」のこと。
自分の部屋でも、お母さんのところでも、
公園でもいい。
安心できる場所は「幸せを感じられる場所」なんだ。
幸せは、きみたちにとってスタート地点。
幸せな人ほど、いろいろなことに挑戦できるんだよ。

おうちの方へ

「安全基地」は心のよりどころ、自信の源です。親は過保護でも無関心でもなく、子どもが傷ついたときにゆっくりと休める場所をつくりましょう。

16

自分(じぶん)に「いいねー!」しよう

きみの得意なこと、
苦手なことって何かな？
短距離は苦手だけれど、
長距離はがんばれるとか、
人と話すのは苦手だけれど、
コツコツものをつくるのが上手だとか、
だれにでも得意不得意はあるよね。
それは、「いい・悪い」ではなくて、個性なんだよ。
得意不得意もひっくるめて、
ありのままの自分を見ること。
ありのままの自分に「いいね！」を、
どんどん押そう！

おうちの方へ

子どもの自己肯定感を
育てるには、
長所も短所もひっくるめて、
子どものありのままを
認めてあげることに
尽きます。

17

すごい発明は欠点や苦手から生まれる

自分に欠点があると、
悩むことがあるよね。
でも、欠点や苦手から
生まれた発明は
たくさんあるんだ。
たとえばドラえもんの
「アンキパン」なんて、
勉強が得意な子は思いつかないよね。
新しい発明やアイデアは、「できないからなんとかしたい」とか
「もっと簡単にできるようにしたい」という
気持ちから生まれることが多いんだ。
だから、欠点や苦手で悩みすぎる必要はないんだよ。

おうちの方へ

子どもの苦手なことや
欠点から生まれてくる
ものもあるので、親は必要
以上に気にせずに、
長い目で見守って
あげましょう。

ぼくの子ども時代 ②

運動は苦手だけれど いまも長距離を走っている

ぼくは小学校のとき、運動が苦手だった。ひとりで投球練習したりリフティングしたり、いろいろがんばったんだけど、とくに短距離だけは、全然速くならなかったんだ。

でもあるとき、「長距離なら努力すればけっこう走れるぞ」ってわかって、少し気がラクになった。持久走大会に、学校代表で出たこともあるよ。

そうして大人になったいまも、毎日10キロメートルくらい走っている。運動って短距離だけじゃないし、自分ができることから楽しんで好きになるほうが、きっと得なんだよね。

パート3

大人になっても役立つ「友だち力」を高めよう！

友だちとうまくつき合えないと悩むことがあるよね。
でも、それは自分に問題があるからじゃない。
学校以外にも、本当に気が合う友だちは必ずいるよ。

18
ダメ出しされたらラッキー

人にダメ出しをされるとムカッとするよね。
でも、ダメ出しされるのは、とてもラッキーなこと。
きみを思ってのダメ出しは、
自分で意識していなかったことに気づかせてくれるんだ。
過去の偉大な発明や発見も、
最初は批判されたりバカにされたりしながら、
それを乗り越えて生まれてきたんだよ。
もちろん、ただの悪口や嫉妬なら無視しちゃえ。

おうちの方へ

子どもがダメ出しされて
落ち込んでいたら、
話を聞いてあげましょう。
愛のないただの悪口には、
「気にするな！」の
一言を。

19

勝手にライバル宣言しちゃえばいい

きみにはライバルがいるかな？
足の速さでも、ダンスのうまさでも、
どんなことでもいいから、ライバルを探すといいよ。
ライバルは、テレビやインターネットの中の人ではなく、
身近にいる人のほうがいい。
目の前にライバルがいると、脳が本気になるんだ。
だから「アイツすごいな」って思ったら、見習うといい。
ライバルは自分を成長させてくれるんだよ。

おうちの方へ

偉人伝を読んだときよりも、
脳は目の前にいる人の
ほうに、強く反応します。
劣等感を感じさせて
くれる相手は最高の
宝物です。

友だちが「本当のきみ」を教えてくれる

自分のことは自分がいちばんよく
知っていると思っている？
じつは、他人という鏡がないと、
自分のことって
よくわからないんだ。
友だちと一緒にいるうちに、
「あれ？ぼくって歌がうまいのかな？」
「わたし、絵をかくのが好きかも」って
気づいたりするよね。
友だちは、いままで知らなかった自分を
教えてくれるから、大切なんだよ。

おうちの方へ

脳には、相手の行動や
感覚を自分の脳に映し込んで、
認識する働きがあります。
人に接することで、
自分の個性を知ることが
できるのです。

21

「雑談力」を鍛えよう

雑談がうまい人は、脳を上手に使っている人。
ただ知識をたくさん持っているだけじゃなくて、
相手に伝わりやすく話したり、
みんなを楽しくさせたり、話題をふったりできる。
これは人工知能には、できないこと。
いい雑談からは、新しいアイデアが生まれたりもする。
だから、いろいろな人とたくさん話をして、
雑談力を鍛えよう。

おうちの方へ

雑談はさまざまな話題が飛び交い、瞬時に文脈が切り替わったりするので、とても高度で知的な営み。大人になっても役立つ能力です。

22

「みんなとちがう」はすばらしい

みんなと話が合わずに、うまくつき合えないと、
「ぼくって普通じゃないの?」と悩むかもしれない。
でも、マンガや映画には
いろいろなキャラクターが登場するよね。
さえないと思っていた脇役が
大事な場面ですごい力を発揮することもある。
同じように、世の中にはいろんな役割の人がいるんだ。
人気者でなくても、うまくふるまえなくても、
きみだから果たせる役割が
ちゃんとあるから、大丈夫。

おうちの方へ

100人いたら100個の
個性すべてが正解なんです。
どんな子にもちゃんと
役割があることを、
大人が教えて
あげましょう。

23

人を喜ばせると自分の脳も喜ぶ

最近、だれかを喜ばせたりしたかな？
どんなに小さなことでも、
人のために何かをしてあげると自分の脳も喜ぶんだ。
相手に本当に喜んでもらおうと思ったら、
その人がどんなことをされるとうれしいかなって、
一生懸命に想像するよね。
人のために何かをすると喜んでもらえるという体験は
どんな勉強よりも大切な経験になるんだ。

おうちの方へ

他人のために何かしたときにも、自分がうれしいのと同じように、脳内でドーパミンが分泌されることがわかっています。

24

友だちは世界のどこかにいればいい

クラスに友だちがいなくても、悩まなくていいんだよ。
いま友だちがいないのは、きみに問題があるからでも、
魅力がないからでもない。

たとえ、いま「ぼっち」でも、
クラスが替わったり、進学したりしたら、
気の合う仲間が見つかるかもしれない。
「自分は人とちがう」と思っている人ほど
「同志」に出会ったときに、深いきずなで結ばれるんだ。
友だちは100人いなくても、
世界のどこかにいればいいんだから。

おうちの方へ

もし学校で友だちができないようなら、学外で子どもが興味のある場に連れていくと、気の合う友だちに出会えるかもしれません。

25

新しい世界に飛び込むと新しい自分に出会える

学校の友だちも大切だけど、学校以外でもどんどん人に会おう。
習い事でもいいし、キャンプに参加するのでもいい。
新しい場所に行くと、いつもとはちがう役割を担うから、
それまで気づかなかった自分の可能性が見つかるんだ。
新しい世界に飛び込むことは、新しい自分に出会うこと。
それを続けていれば、いろんな可能性を手に入れられるよ。

おうちの方へ

学校ではひとつの
ポジションに固定されて、
息苦しく思う子もいます。
いろいろな環境を用意して
世界を広げて
あげましょう。

26 空気は読んでも従わない

その場の雰囲気を乱すような発言や行動をすると
「アイツ、空気の読めないヤツ」って言われるよね。
もちろん、空気は読めないよりも読めたほうがいい。
でも、空気は読めても、それに従うかどうかは別。
実際、世の中を変えてきた人たちは、
空気を読む力があっても、あえて従わない人が多い。
「空気は読んでも従わない」が、
新しいものを生み出すんだ。

おうちの方へ

「空気は読んでも従わない」
能力は、大人になってからでは
なかなか身につきません。
子どもの頃から
練習しておきたい
能力です。

小学校時代の友だちとの思い出

小学校の同級生にはいろんな子がいて、花の名前をよく知っている女の子は尊敬したなぁ。ラーメンにくわしい「ラーメン博士」がいたのも覚えている。

ある日、女の子からの電話にドキドキして出たら、「庭にいる青虫がなんの幼虫か見に来て」って言われて、「ぼくはそういう存在か」と思ったこともある(笑)。

あとは、オオノくんという運動がよくできる子と大ゲンカをして悩んでいたら、翌朝彼がいつも通りにあいさつしてきて、「いいヤツだな」と思ったり。友だちとの関わりで学んだことはいっぱいあったよ。

教科書では学べない 本当の「勉強力」の育て方

これからの時代は、答えのない問題や、
正解がいくつもある問題にたくさんぶつかる。
だから、本当に必要な、「自分の頭で考える力」を身につけよう！

27

正解(せい)解(かい)は探(さが)さなくていい

だれかに問題を出されたときに、
「正解を言わなきゃ」って思ってない？
でも、正解があるのはテストの中だけ。
世の中には正解がない問題がたくさんあるんだ。
だから、正解を探すよりも、
「こうしたら解けるんじゃないか」って
仮説を立てることのほうが、ずっとずっと大事なんだよ。

おうちの方へ

唯一の正解を当てなければいけないと思っている子が多いですが、これからの時代は正解よりも仮説を立てる力のほうが求められます。

28

最高(さいこう)の勉強(べんきょう)は「まちがえる」こと

ヤッター！
ああして、
こうして…
できたー！
またまちがえたー！

よーし、今度(こんど)は
あそこに気をつけて…
まちがえたー!!

「まちがえる」ことは嫌いかな？
じつはぼくたちの脳は、まちがえたほうがのびるんだ。
予想を裏切られたときのほうが、
ドーパミンが活動するから。
だから、まちがえた数だけ成長するし、
まちがえることがいちばんの勉強になるんだ。
怖がらずに、どんどんまちがえよう。

おうちの方へ

脳はまちがえることで
学習します。
まちがいを否定する
ことは子どもの
学習機会を奪う
ことになります。

29

勉強をゲームにしちゃえ

ゲームをするのは楽しいけれど、
勉強はつまらない――。
もし、そう思っているなら、
勉強をゲームにしちゃえばいい。
「20分で宿題を終わらせたら30ポイント!」みたいに、
ゲーム感覚で勉強すると、
だんだん脳がその気になって、楽しくなってくるんだ。
そうして勉強すること自体が楽しくなったとき、
きみの脳はぐんと成長しているよ。

おうちの方へ

勉強以外のことでも、
ゲームを楽しむように
遊び心を持って取り組むと、
脳が刺激されて
行動力、集中力が
アップします。

30

自分に合ったやり方を見つけよう

「勉強は苦手」と思い込んでいる人が
いるかもしれないけれど、
じつは「勉強ができない脳」はないんだ。
人間の脳にはいろいろな個性があって、
授業を聞いただけで理解できる
ウサギ型の脳もあれば、
時間をかけて深く考えるのが得意な
カメ型の脳もある。
だから、やり方や環境を変えてみて、
自分に合った学び方を見つけると、
勉強は楽しくなるよ。

おうちの方へ

勉強が苦手な子は、
じつは学校のやり方が
合っていないというケースも。
その場合は子どもに合った
勉強の環境を整えて
あげましょう。

31 正解するより質問するほうが大事

いままでは、問題に答える力が
大事だったけれど、
これからの時代は、正解を求める
よりも疑問を持つことのほうが大事。
たとえばクイズって、
答えを当てることよりも、問題をつくるほうが、

調べたり考えたりするから、
頭を使うんだ。
だから、どんどん「なぜ」を探して、
大人を質問攻めにしよう。
それはとても
クリエーティブなことで、
世の中を変える力になるんだ。

おうちの方へ

もともと子どもは
質問好き。それは子どもの
脳にとって食欲のような
ものです。そして、質問を
持つことは行動に
つながります。

32

"へりくつ"はどんどんこねよう

なんで
わたしは読まなきゃいけないの？
ママは本読まないのに
へりくつ言わないの!!

「マンガばかり読んでないで勉強しなさい！」って
言われたときに、
「マンガを読むのは勉強じゃないの？」と
思ったことはない？
いっけんへりくつのようだけれど、・・・
じつは論理的な疑問だよね。
へりくつを言うと大人はイヤがるけれど、
大人と議論をすることはとても大事。
論理的に考える練習になるし、
そこから新しい答えが見つかるかもしれないから。

おうちの方へ

子どものへりくつは
めんどうかもしれません。
でも、へりくつにちゃんと
答えてあげることで
論理的思考の芽が
育っていくのです。

33

ひらめきはボーッとしているときに生まれる

86

じつは、「ボーッとする時間」は
とっても大切なんだ。
「やらなきゃ」って
がんばっているときだけじゃなく、
何もしていないリラックスしたときにも、
脳は働いているんだよ。
だから、散歩しているときやお風呂に入っているときに
突然おもしろいアイデアを思いつくことがある。
頭を使いすぎたら、
ボーッとリラックスしてみよう。

おうちの方へ

脳には何も考えていないときに活性化する回路があります。そこで脳のメンテナンスが行われることで、新しいひらめきが生まれやすくなります。

34

学校がキツいなら行かなくてもいい

昔は、子どもが
勉強や人間関係を学ぶ場所は、
学校以外に選択肢はほとんどなかったんだ。
でもいまは、インターネットやSNSがあるから、
学校へ行かなくても勉強することができるし、
人とつながることもできる。
もし学校に居場所がなかったり、
本当に行くのがイヤになったりしたら、
サボってもいいんだよ。

おうちの方へ

「ひきこもり」できる
居場所があるのは、
すばらしいこと。上手に
サボる術や、ちがう選択肢を
知ることも、これからの
時代に必要です。

授業中はふまじめでも勉強はできるようになる

ぼくは小学校に入学した日に、じっと座っていられず足をブラブラさせたり、ほおづえをついたりして先生から注意された。うしろで見ていた親たちにいっせいに笑われて、すごく恥ずかしかったよ。

2年生のときにも、授業中にねんど消しゴムで人形をつくっていたら先生に見つかって、教室のうしろで正座をさせられたなぁ。

そんなぼくだけど、新しい遊びをつくったりクラブ活動をしたりしてやしなわれたエネルギーが、あとあと勉強につながった。勉強って、ただまじめに授業を受けることじゃないんだよね、きっと。

パート5

「夢中力」をのばして〝なりたい自分〟になる！

いまいちばん興味があることは何かな？
夢中になれるものがあれば、どんどん〝ハマる〟といい。
何かに〝ハマった体験〟がある人ほどのびるから。

35

ごはんを忘れるくらい夢中になろう

きみはいま、夢中になれるものがあるかな?
昆虫でもダンスでもゲームでも、なんだっていい。
とにかく自分が好きなものに「どハマり」しよう。
ごはんを食べるのを忘れるくらい夢中になっていると、
きみの中に眠っている新しい能力が引き出されるんだ。
なかでも、人がつくったものに夢中になるより
自分がゼロから何かをつくり出す夢中のほうが、脳は喜ぶよ。

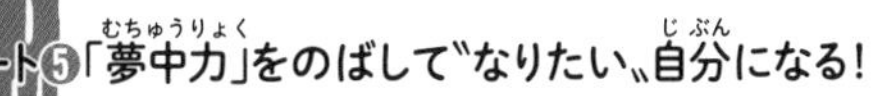

おうちの方へ

時間を忘れるくらい
夢中になることは、地頭力を
鍛えることにつながります。
好奇心の強い
子どものうちにこそ
鍛えたい力です。

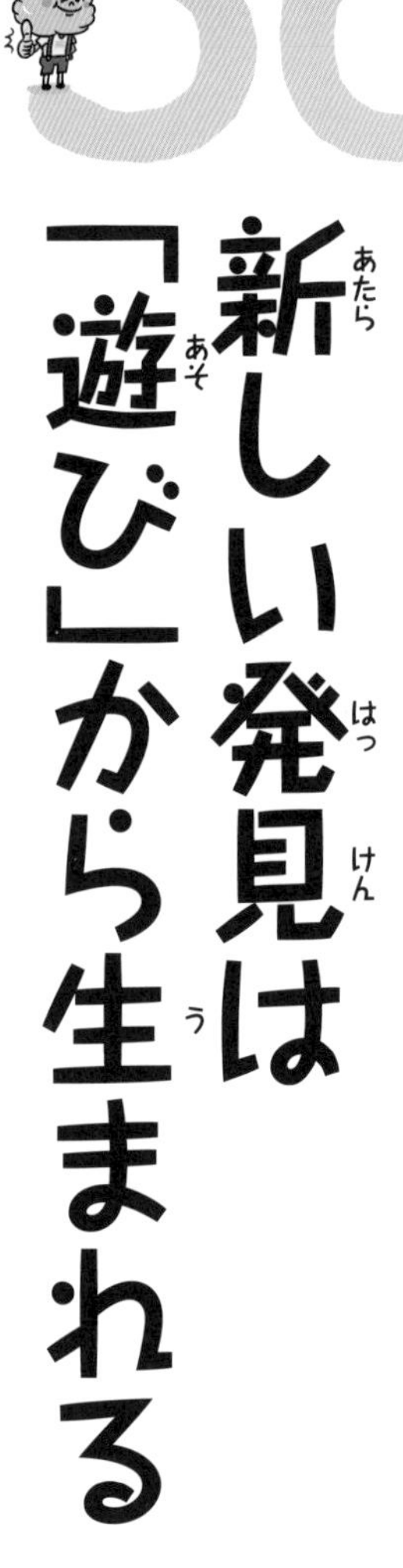

36 新しい発見は「遊び」から生まれる

発見でも発明でも、
「新しいもの」は
一生懸命に考え込んでいるときよりも
遊んでいるときに生まれることが多いんだ。
動物は遊んでいるときに、脳がもっとも変化するんだけれど、
人間も、よく遊んでいる人ほど、
頭の回転が速くて仕事ができる人が多い。
遊ぶことって、じつはとても創造的な行動で、
「学び」につながっているんだよ。

おうちの方へ

ノーベル賞を受賞した
発見にも、遊んでいるときに
生まれたものがいくつも
あります。まさに
「遊び」=「学び」の
好例です。

37

とりあえずやってみる

考え続けても答えが出ずに、
結局やらなかったって経験はあるかな？
考えることはいいことなんだけれど、
考えすぎて行動にうつせないのは、
もったいないよね。
大事なのは「すぐにやる」こと。
とくにいまは変化の速い時代だから、
気になることがあったら、
正解かどうかはわからなくても、
とりあえず行動してみるといいよ。

おうちの方(かた)へ

仕事ができる人は、
考えてからやるのではなく、
やりながら考えています。
やってみないと、それが
正解なのかわから
ないからです。

38

オタクになることをおそれるな

だれも興味を持たないものを「好きだ」と言うと、
「変なヤツ」とか「オタク」って言われるかもしれない。
でも、そんな言葉はまったく気にしなくていい。
だれにも遠慮することなく、
自分の興味があることに、どんどんのめり込めばいい。
「オタク力」のある子は、大人になってものびる。
これからは、好きなことをつきつめたオタクが、
ビッグチャンスをつかめる時代なんだよ。

おうちの方へ

医学であれプログラミングであれ、探求学習の基本は「オタク力」。好きなことをいつまでも話している子は将来のびるのでご安心を。

39

専門(せんもん)バカよりも雑学王(ざつがくおう)をめざせ

オタク型の人は、
ひとつのことを深く掘り下げることが得意。
でも最強なのは、
ひとつの分野にくわしいだけじゃなくて、
いろいろなことに興味を持って
幅広い知識もかねそなえている人。
深さと幅広さを持つ「T字型」の人が、
これからの時代は
ますます活躍できるんだ。

おうちの方へ

ひとつのことを深く考え、
掘り下げていくこと、
そして幅広い分野に興味を
持つこと。そのバランスが
やり抜く力を
育てます。

40

自分だけの宇宙を見つけよう

何かを選んだり、決めたりするときに、人気があるものと、ないものがあったら、どちらを選ぶ？

人気のないもののほうを「ほしい」と思ったら、
それはラッキーなことかもしれない。
人が関心を持たないことに興味を持てる人は、
世の中をこまかな目で見ているんだよ。
その小さな世界の中に、
きみだけの無限の宇宙が見つかるかもしれない。

おうちの方へ

まわりの子が興味を
示さないことに夢中に
なるのは、確固とした自分の
基準があるということ。
その個性をおおいに認めて
あげましょう。

41
わからないことはすぐにググろう

「いちばん小さい恐竜って何？」
たとえば、そんな疑問が浮かんだとき、
きみならどうする？
インターネットで調べる？
それとも事典で調べるかな？
何で調べてもいいんだけれど、
すぐに調べることは大事。
気になったときにすぐに調べたほうが、記憶に残りやすいから。
その一方で、すぐに答えを探さずに、
いろいろ考えたり、想像したりすることも大事なんだ。
その両方をうまく使い分けるのが、
理想の調べ学習になるよ。

おうちの方へ

何か疑問を持ったとき脳は記憶する準備をしています。だから、気になったときにすぐ調べたほうが記憶は定着しやすくなります。

42

やり抜く力は三日坊主から

勉強でも習い事でも、続けることってむずかしいよね。
そんなときは、たとえ三日坊主になっても、
「3日も続けられた！」と考えるようにすればいい。
三日坊主を失敗ではなく、成功体験にするんだ。
「次は4日続けてみよう」と少しずつ目標を上げていって、
小さな成功体験をどんどん積み重ねていくと、
いつのまにか「やり抜く力」が育つよ。

おうちの方(かた)へ

やり抜く力は、
生まれ持ったIQや
才能とは関係ありません。
目標の実現に向けた
継続的な努力が成功を
もたらすのです。

好きなことに夢中になる「オタク力」は大切！

昆虫好きだったぼくが小学校に入った頃、母がチョウの研究をしている大学生を紹介してくれた。それ以来ぼくはチョウに夢中になったんだ。チョウを追いかけるために、イヤな宿題もさっさと終わらせた。神社の森に通って、毎日何時間もチョウのことを考えてたよ。

当時は「オタク」って言葉はなかったけど、自分は友だちとちょっとちがうとは思っていた。でも、さびしくなかったし、科学に興味を持ちはじめるきっかけにもなったよ。

「オタク」は自分が興味を持っていることをどんどん深掘りする。その情熱は、大人になってからもすごく役立ったよ！

パート6

「夢をかなえる力」を育てよう！

夢が見つかったときに、その夢をかなえるために、
今からできることはたくさんある。
〝なりたい自分〟になるために、どんどん心と体を動かそう！

43

いちいち感動しよう

最近「すごい！」って思ったこと、あったかな？
じつは「感動」は、脳が成長する
いちばんのきっかけになるんだ。
感動しているとき、きみの中で
感情のメーターの針がふり切れて、
脳が受け止め切れないほどの情報を浴びているんだよ。
感動するたびに、きみたちは
人生の階段をひとつ上がっているんだ。
だから、「すごい！」に出合う機会を、どんどん増やそう。

おうちの方へ

感動したとき脳は、
記憶と感情の回路を総動員させて針がふり切れた状態です。
子どもが感動する機会を
できるだけ増やして
ください。

44

「言葉にする」と うまくいく

大人になったらなりたいものは、あるかな？
もし「サッカー選手になりたい」
「パティシエになりたい」って夢があるなら、
その目標をどんどん口にするといい。
強い思いの言葉を口にすればするほど、
脳は自己暗示にかかって本気になるんだ。
逆にネガティブな言葉を発していると、
脳もネガティブになっちゃう。
だから、夢はどんどん言葉にしよう。

おうちの方へ

言葉は何億もの神経細胞の活動から生まれます。脳というオーケストラが、言葉という指揮者によって行動を変えていくのです。

45

「師匠」を見つけよう

恐竜でもアニメでもファッションでもいい。
もし、きみに大好きなものがあるのに、
まわりにその話ができる人がいないなら、
師匠を探しに行こう。
学校の外には、その分野できみよりもくわしくて、
のめり込んでいる人がたくさんいるから。
そして、師匠を見つければ、
もっともっと世界が広がるよ。

おうちの方へ

親や学校の先生以外の「師匠」はとっても大切！ 口コミやインターネットなどを駆使して、いい師匠を見つける手伝いをしてあげてください。

46

自分に ダメ出ししよう

スポーツでも勉強でも、うまくいくと
「わたしってすごい！」って思ったりするよね。
でも、そこで満足してはいけないんだ。
成功している人ほど、「まだまだ」と思って、
自分に足りないものを探すんだよ。
だから、うまくいったときこそ、
自分にダメ出しをすると、もっともっと成長するよ。

おうちの方へ

自分で自分を
ほめることと同じくらい、
自己批判をすることは
大切です。それによって
脳はさらに成長して
いけるのです。

47

「自分はこうだ」と決めつけない

自分を知ることは
とても大切だけれど、
「ぼくって○○だから」と
決めつけるのは、もったいない。
人と話すのが苦手だと思っていても、
趣味の仲間となら、おしゃべりになるかもしれない。
何歳になっても、人は新しく変わることができるんだ。
だから、いつでも「自分は変わるかもしれない」と思っていると、
どんどん新しい自分が見つかるよ。

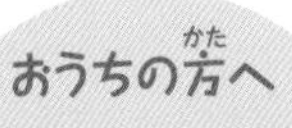

おうちの方へ

内向的だった子が
社交的になったり、特定の
分野になると集中力を
発揮したり。子どもの脳には
たくさんの可能性が
秘められています！

48

マンガの主人公になりきっちゃえ

マンガやアニメって
フィクションなんだけれど、
登場人物たちは、仲間になったり、力を合わせて敵を倒したり、
ときには挫折したりしながら成長していくよね。
それって、じつは現実の世界と同じなんだよ。
だから、登場人物に自分を重ね合わせるのは、とてもいいこと。
いろいろな人生をシミュレーションできるんだから。
マンガを読むときは、
登場人物になりきっちゃっていいんだよ。

きゅうしょく

おうちの方へ

マンガでも映画でも、
登場人物に自分を重ね合わせる時間が長ければ長いほど、現実に対するシミュレーションになります。

49

人工知能に負けない「直感力」を鍛えよう

そうだ!

ピピピ

ピピッ

何かを決めるときに、
「直感」で決めることってあるよね？
じつは、それは人工知能にはできないことなんだ。
人間は、計算の速さでは人工知能に勝てないけれど、
直感力では負けない！
「直感」って、なぜそれを選んだのかは
説明できないんだけれど、
それまでに経験したことから、
自分の体が選んだ答えなんだ。
だから、体をたくさん動かして、直感力を鍛えよう。

おうちの方へ

直感力は身体性から
もたらされます。自分の体を
使っていろいろなことを
経験、行動することで
鍛えられます。

50

脳に「もうムリ」はない

壁にぶつかると「もうムリ」って思うことあるよね？
でも、きみたちの脳に限界はないんだ。
脳ののびしろに〝天井〟はないから、
「できない」とか「もうおしまい」と思っても
じつはまだまだ学ぶこと、できることはあるんだよ。
だから、「もうムリ」よりも「まだまだ」って思っていると
きみたちの脳はどんどん成長するよ。

おうちの方へ

脳は「ここがゴール」と思ってしまうと成長しませんが、「まだできる」と思っている限り、何歳になっても成長する可能性があります。

おわりに

子どもたちは未来を知っている

いま世界はものすごい速さで変化していて、社会のルールが次々と変わっています。これからの時代は、親の世代が信じていた成功のルールや経験則が成り立ちません。

そんな中、子育てに悩んでいるお父さん、お母さんも少なくないと思います。でもじつは、正解は子どもが持っていることが多いのです。

子どもには、五感を使って未来がどうなるかを察知する能力があります。そして、すでに新しい世界や文化をつくりはじめています。インスタグラムやユーチューブを使いこなし、大人たちの知らないスターに夢中になっています。いまの子どもたちは、大人の見ていないところで子どもだけの世界をつくり上げているのです。

ゲーム好きな子がプロゲーマーになったり、カラオケ好きな子がユーチューバーになったり、遊びの感覚がそのまま仕事になる時代です。子どもたちはそうした新しい変化を、大人よりも早く、敏感に感じ取っています。

いま大人たちがやるべきなのは、子どもを信じて好きなことをやらせてあげることです。もちろん、放任するのではなく、失敗したときや悩んでいるときは、フォローすることも大切です。

この本に書いた「チャレンジ力」や「失敗力」などの力は、大人になってから育てようとしてもなかなか身につきません。これからの〝答えのない時代〟を生き抜く力をつけるためには、子どもの頃から失敗を怖がらずチャレンジする土台を育てておくべきなのです。

この本が、新しい未来をつくる子どもたちと、彼らを見守る大人たちにとって、有意義な本になることを願っています。

茂木健一郎

茂木健一郎（もぎ・けんいちろう）

1962年、東京都生まれ。脳科学者。東京大学理学部、法学部卒業後に、東京大学大学院理学系研究科物理学専攻博士課程修了。理学博士。理化学研究所、ケンブリッジ大学を経て、ソニーコンピュータサイエンス研究所シニアリサーチャー。2005年に『脳と仮想』（新潮社）で第4回小林秀雄賞、2009年に『今、ここからすべての場所へ』（筑摩書房）で第12回桑原武夫学芸賞受賞。『本当に頭のいい子を育てる 世界標準の勉強法』（PHP新書）など著書多数。

脳科学者が子どものために考えた
夢をかなえる力の
のばし方

2020年7月29日　第1刷発行

著　者　茂木健一郎
発行人　蓮見清一

発行所　株式会社宝島社
〒102-8388 東京都千代田区一番町25番地
電話：営業　03-3234-4621
編集　03-3239-0928
https://tkj.jp

印刷・製本　中央精版印刷株式会社

ISBN 978-4-299-00749-0